O MAIOR TESOURO

- VOLUME 3 -

Professora Rute Mendonça
Pregadora Ecumênica da Religião de Deus, do Cristo e do Espírito Santo

William Luz
Coordenação e desenhos

Texto inspirado nas explicações do Irmão Paiva Netto sobre o Apocalipse do Divino Mestre pela Super Rede Boa Vontade de Comunicação.

São Paulo/SP — Brasil — 2024
Editora Elevação

Autora: Rute Mendonça
Coordenação e desenhos: William Luz
Produção editorial, desenhos e revisão: Equipe Soldadinhos de Deus
Impressão: Mundial Gráfica

Depósito legal na Biblioteca Nacional conforme
Decreto nº 1.825, de 20 de dezembro de 1907.

Dados Internacionais de Catalogação na Publicação (CIP)

M539t

Mendonça, Rute

O Maior Tesouro — 1ª ed. — São Paulo : Editora Elevação, 2024, v.3. (*Coleção Ecumênica Apocalipse de Jesus para as crianças*). Ilustração William Luz. 32. p. : 24 x 24 cm.

ISBN: 978-65-85860-08-6

1. **Quarta Revelação**. 2. Jesus Cristo. 3. Espiritualidade. 4. Apocalipse de Jesus. 5. Evangelho de Jesus. 6. Paiva Netto, José de. I. Luz, William. II. Título

CDD-228.07

Índice para catálogo sistemático:
1. Apocalipse : Comentários 228.07

Rua Doraci, 2-A, sala 103 – Bom Retiro
São Paulo/SP – CEP 01134-050

ELEVAÇÃO

www.elevacao.com.br

Vamos ler com os nossos pais o

Tratado do Novo Mandamento de Jesus,

reunido por Paiva Netto, consoante o Evangelho do Cristo de Deus, segundo João, 13:34 e 35; e 15:7, 8, 10 a 17 e 9.

Ensinou Jesus, o Cristo Ecumênico, o Divino Estadista*: "13:34 *Novo Mandamento vos dou: amai-vos como Eu vos amei.* 13:35 *Somente assim podereis ser reconhecidos como meus discípulos, se tiverdes o mesmo Amor uns pelos outros.*

15:7 *Se permanecerdes em mim e as minhas palavras em vós permanecerem, pedi o que quiserdes, e vos será concedido.* 15:8 *A glória de meu Pai está em que deis muito fruto; e assim sereis meus discípulos.*

15:10 *Se guardardes os meus mandamentos, permanecereis no meu Amor; assim como tenho guardado os mandamentos de meu Pai e permaneço no Seu Amor.*

15:11 *Tenho-vos dito estas coisas a fim de que a minha alegria esteja em vós e a vossa alegria seja completa.*

15:12 *O meu Mandamento é este: que vos ameis como Eu vos tenho amado.* 15:13 *Não há maior Amor do que doar a própria vida pelos seus*

amigos. 15:14 *E vós sereis meus amigos se fizerdes o que Eu vos mando.* 15:17 *E Eu vos mando isto: amai-vos como Eu vos amei.*

15:15 *Já não mais vos chamo servos, porque o servo não sabe o que faz o seu senhor; mas tenho-vos chamado amigos, porque tudo quanto aprendi com meu Pai vos tenho dado a conhecer.*

15:16 *Não fostes vós que me escolhestes; pelo contrário, fui Eu que vos escolhi e vos designei para que vades e deis bons frutos, de modo que o vosso fruto permaneça, a fim de que tudo quanto pedirdes ao Pai em meu nome Ele vos conceda.*

15:17 *E isto Eu vos mando: que vos ameis como Eu vos tenho amado.* 15:9 *Porquanto, da mesma forma como o Pai me ama, Eu também vos amo. Permanecei no meu Amor".*

* **Jesus, o Cristo Ecumênico, o Divino Estadista** — Leia sobre o assunto na página 32.

Jesus
Ilustração que representa Jesus, o Cristo Ecumênico, o Divino Estadista.

João Evangelista
Ilustração que retrata João, o Evangelista e Profeta, Discípulo de Jesus.

Vovó Lola
Gosta de contar histórias e aproveitar o tempo com seus netos. Ela é muito paciente e extremamente bondosa.

Sarita — 9 anos
Curiosa e inteligente, ela adora conhecer novos lugares e faz amigos por onde passa.

Vítor — 12 anos
Gosta de ler e estudar assuntos diversos, além de querer sempre aprender.

Juju — 10 anos
Cheia de energia, gosta mesmo é de explorar e aprender novas coisas e também passar tempo com os amigos.

Luizinha — 8 anos
É muito alegre, divertida e sorridente. Seu lazer preferido é brincar.

Yuri — 9 anos
Extrovertido, ama conversar e fazer novos amigos. Ele é muito alto-astral.

AMIGOS

Paiva Netto

Ninguém vive em solidão!
Na felicidade ou na Dor,
Tem por si o Criador
Candente no coração...

Na praia ou no deserto,
Na planície ou no planalto,
Reverentes, olhando ao alto,
Vemos Jesus tão perto.

Amigos, bilhões de astros
Seguem sempre os nossos rastros,
Acima do Bem e do mal:

Humanidades distantes,
Torcendo por nós, vibrantes,
Num abraço universal!

PASSEIO NO PARQUE

Em uma radiante manhã, nada é mais divertido do que estar de férias e desfrutar de um passeio, especialmente na aconchegante casa da vovó! As crianças, animadas, ajudam a limpar a mesa após um delicioso café da manhã.

— Vovó, o que vamos fazer hoje? — Juju quer saber, já com os olhos brilhando de curiosidade.

— Será que iremos ao parque?

— Acertou, Vítor! — diz dona Lola, percebendo que não havia mais surpresas. Hoje, depois do almoço, vamos fazer um piquenique. Vocês me ajudam com os preparativos dos lanches?

— Ah, vou pegar aqueles copos que têm o nosso nome. É bom porque a gente pode usar várias vezes! — exclama Sarita.

— Posso chamar o Yuri para ir também?

— Corra lá, Vítor! Ele já faz parte de nossos passeios! — confirma a vovó com entusiasmo.

E, assim, partem para o parque. Lá, as crianças se entregam a uma série de atividades: jogam bola, pulam corda, brincam no balanço, no escorregador e na piscina de areia... Uma das brincadeiras mais empolgantes é a caça ao tesouro, que desafia a agilidade e a perseverança de todos!

Terminado o passeio, retornam à casa da vovó e formam uma equipe solidária, organizando todas as coisas que levaram ao parque, sabendo da importância de cumprir com os deveres para depois terem direito a novas diversões.

Participe da nossa aventura no parque! Encontre neste desenho 7 estrelas. Você está pronto para o desafio? Resposta na página 31.

O BRILHO DAS ESTRELAS

Após um dia repleto de aventuras, anoitece e as estrelas começam a brilhar no Céu, anunciando um momento perfeito para histórias e reflexões. Dona Lola, não perdendo tempo, convida as crianças a ir a um lugar especial da casa:

— Vamos para a varanda?

Animadas com a ideia, seguem a vovó até o espaço aconchegante. Lá fora, elas têm uma visão ampla da Natureza.

— Olhando para este Céu tão lindo, vocês se lembram onde paramos na nossa história? — pergunta dona Lola.

— Eu me lembro que é uma história looonga e verdadeira! — Luizinha grita feliz lá do canto onde está sentada.

— É mesmo. É o Apocalipse de Jesus, e Ele revelou muita coisa para João Evangelista — diz Sarita.

— A senhora ia contar sobre as estrelas e os candeeiros — recorda-se Vítor, com entusiasmo.

— Pois é, e vocês estão vendo como as estrelas brilham à noite?

— Sim, e eu acho lindo ver este Céu estrelado! — comenta Yuri, encantado com aquela maravilha!

— Eu também acho muito lindo! Mas, quando está chovendo, não dá para ver nem uma estrelinha!

— Não dá para ver, Luizinha, mas elas estão sempre lá no Céu — destaca Vítor.

— Acontece, meus queridos, que, quando está uma noite chuvosa ou o Céu carregado com nuvens escuras, parece que não há estrelas, já perceberam?

— Sim, verdade! Mas, vovó, ontem a senhora estava contando sobre a visão de João Evangelista... O que significa as estrelas na mão direita de Jesus? — pergunta Juju, apressada em entender.

Enquanto se acomoda no sofá, dona Lola continua esclarecendo:

— Jesus disse para ele que as estrelas na Sua mão direita representam os Anjos que cuidam da humanidade, quer dizer, de todos nós.

— E o que isso tem a ver com as estrelas no Céu e a chuva? — questiona Yuri.

Luizinha, toda graciosa, não se contém:

— Jesus disse que as estrelas são Anjos?

— Aí é que entra a questão da chuva e das estrelas. Os Anjos cuidam de nós, mas, quando ficamos distraídos, fazendo alguma coisa que não está certa, tendo atitudes erradas, não conseguimos sentir a presença de nossos Anjos da Guarda.

— E a gente pensa que eles não estão perto de nós! — reflete Vítor.

— Ah, então podemos comparar as nuvens com a falta de amizade, compreensão, carinho, porque isso também deixa o nosso coração nublado, cobrindo a luz que vem dos Anjos da Guarda, que são as estrelas! Agora, entendi — conclui Sarita.

— A mamãe disse que nosso Anjo da Guarda nunca sai de perto da gente!

— E a mamãe está certa, Luizinha — completa a vovó. Por isso, precisamos sempre fazer uma prece para que eles nos ajudem e que o nevoeiro das maldades não nos atrapalhe! Hoje, lá no parque vocês brincaram de caça ao tesouro, não foi?

— Foi mesmo, e estava bem divertido! — lembra Luizinha.

— Cada um queria ser mais rápido do que o outro para achar o tesouro...

— Pois é, Yuri, e como nessa brincadeira, precisamos procurar, sem desanimar, o maior tesouro da nossa vida, que é a Proteção de Deus, que recebemos com a ajuda dos nossos Anjos da Guarda.

— E como seria isso, vovó?

— Acho que eu sei, Juju. — Sarita se apressa em responder. — Sempre que fazemos o Bem, estamos na pista certa, porque nosso coração fica em paz e feliz.

— É mesmo! — confirma Vítor. — Seguindo essa pista que vem dos nossos Anjos Guardiães, encontramos Deus em nosso coração e recebemos a proteção Dele.

— E este é o maior tesouro que devemos procurar! — conclui Juju.

— Parabéns, meus queridos! Com certeza, ter Deus no coração é um grande tesouro!

— Vovó — questiona Juju, reflexiva —, se as estrelas, na mão direita de Jesus, são nossos Anjos da Guarda, os candeeiros são o quê?

Dona Lola, sem perder tempo, aproveita a pergunta da neta para enriquecer o aprendizado sobre os símbolos do Livro da Revelação, o Apocalipse:

— Juju, vamos relembrar: na mão direita de Jesus há 7 estrelas, que já vimos que representam 7 Anjos. E percebam a Autoridade e o Poder de Jesus, que dá aos Anjos a força e a sabedoria para cuidarem de todos nós.

— Mas e os candeeiros? — pergunta novamente Juju.

UM MUNDO ILUMINADO

Dona Lola, então, faz um desenho no caderno, para facilitar o entendimento das crianças, e pede a elas que acompanhem a explicação:

— Os 7 candeeiros ao redor do Cristo representam as 7 Igrejas de Deus. Vocês estão lembrados que Jesus mandou João Evangelista escrever uma carta para cada Igreja da Ásia*?

— Eu me lembro! Foi uma voz forte como de trombeta que falou com ele e era a voz de Jesus! — confirma Sarita.

— Bom, crianças, antes de tudo, é importante a gente entender que Igreja, no Apocalipse, não se trata somente daquele respeitável lugar onde as pessoas vão para fazer uma oração, conforme a crença de cada um. Igreja aqui representa uma comunidade, um grupo de pessoas de um determinado local ou cidade que está reunido para entender e viver os ensinamentos das Leis de Deus.

— Existem muitos tipos de Igrejas em todo o mundo. Tem aqui em Montanhópolis, lá na cidade de São Paulo...

— Exatamente, Sarita! Então, dá para perceber que as mensagens que Jesus mandou nas cartas às Igrejas da Ásia são para todas as comunidades, todas as pessoas, enfim, para toda a humanidade.

— Essa parte agora eu entendi, só que não sei o que é um candeeiro — lamenta Yuri, que ainda está com uma dúvida.

— Um candeeiro é um objeto muito usado no passado que servia para iluminar um ambiente, hoje em dia podemos pensar como se fosse uma lanterna.

— Meu pai tem uma que ele usa quando vai olhar o motor do carro à noite!

* Apocalipse de Jesus, segundo João, 1:11.

— É isso aí, Yuri. A lanterna ilumina e auxilia em alguns trabalhos — reforça dona Lola. — Então, podemos entender que os candeeiros somos nós quando iluminamos a humanidade cada vez que praticamos o Bem.

— E, se Jesus está no meio dos candeeiros — Juju reflete —, quer dizer que Ele está sempre entre nós.

— Por isso que, quando Jesus esteve aqui na Terra, ainda visível, disse a Seus Discípulos: *"Vós sois a luz do mundo!"* *

— Como assim? Eu sou uma lanterna? — estranha Luizinha, provocando muita risada da turminha.

— Eu explico, prestem atenção: cada vez que vocês disserem boas palavras ou praticarem uma boa ação, estarão iluminando o caminho de alguém com a luz da Bondade, do Amor, do respeito, e essa pessoa estará aprendendo com vocês!

— Ah, outro dia, uma amiguinha me falou que não sabia o que era falar com Deus, e eu disse que é fazer uma prece.

— Pronto, Sarita, gostei do seu exemplo. E o que vocês acham que vai acontecer quando todas as pessoas fizerem só o Bem? — indaga a vovó.

* Evangelho de Jesus, segundo Mateus, 5:14.

— Será como o Céu todo iluminado, cheio de estrelas! — responde Vítor, olhando para o alto.

A emoção toma conta do ambiente. Todos viajam na imaginação vendo o planeta Terra todo iluminado e as pessoas, felizes, em paz!

Naquele instante, como que despertando de um lindo sonho, Juju quer saber:

— E o que mais Jesus revelou para João Evangelista, vovó?

— Bem, quem se lembra da primeira coisa que Jesus disse a João?

— Ele pediu, com uma voz bem forte, que João Evangelista escrevesse tudo o que visse e ouvisse ali naquela ilha.

— Foi mesmo, Juju! E que mandasse para as sete Igrejas da Ásia — acrescenta Vítor.

— Exatamente! Então, obediente ao seu Mestre Jesus, tudo que via e ouvia João ia escrevendo!

— Mas ele ia inventando essa história? — quis saber Sarita. — Tem gente que inventa uma história e escreve um livro!

— Não, Sarita, ele não ia inventando nada — esclarece dona Lola.

— Mas, então, de onde ele ia tirando tudo o que tinha que escrever?

— Prestem atenção: como já sabemos, João Evangelista estava exilado na ilha de Patmos, e Jesus, que acompanha tudo do Mundo Espiritual, sendo o Divino Governante, está cuidando sempre de nós, humanidade. Então, Deus entregou toda a Revelação do Apocalipse para Jesus, Jesus passou essa Revelação para um Anjo, e este Anjo ia ajudando João a entender tudo o que via e ouvia...

— Nossa, e João ia escrevendo tudo!

— Isso mesmo, Vítor! Vejam isto aqui no caderno:

— E o que isso quer dizer?

— Isso mostra como as coisas são organizadas lá no Céu! É como uma grande orquestra!

— Entendi, mas não compreendi — brinca Juju.

— Imaginem uma orquestra: primeiro, temos o compositor, que é o criador da música. Em seguida, o maestro que orienta os músicos, com seus instrumentos, para tocarem a melodia. No final, todos juntos apresentam a música lindamente para todo mundo ouvir! — explica dona Lola.

— Ah, agora entendi! A música que a gente ouve vem de muitas pessoas trabalhando juntas, começando pelo compositor, depois o maestro, os músicos...

— Exatamente, Juju! E chamamos isso de Hierarquia Divina.

Agora, olhando para o caderno, quem vocês acham que ordenou que João escrevesse tudo o que ele viu e ouviu na ilha de Patmos?

— Foi Deus! — responde Sarita, animada.

— E ele tinha papel e caneta lá? — quer saber Luizinha, curiosa.

— Claro que sim! Senão, como ele ia escrever tudo isso? — diz Juju, confiante.

— É isso mesmo, vovó? — Yuri pergunta curioso.

Olhando para o relógio, que já marcava nove horas da noite, a vovó se apressa em dizer:

— Bem, crianças, veremos isso amanhã. Por hoje já aprendemos bastante. Agora, vão se preparar para dormir.

Todos dão um apertado abraço e beijo na vovó, com um sorriso no rosto.

— Obrigada, vovó! Gosto muito de suas histórias. Durma com Deus! — despede-se Juju, já se imaginando, na sua caminha macia, dormindo.

Todos saem correndo e falando bem alto numa só voz:

— Amamos muito a senhora!

— Também amo vocês! Não se esqueçam de fazer a prece!

Em seguida, as luzes da sala se apagam, mas o ambiente permanece iluminado pela presença protetora do Cristo e pelas boas vibrações dos Anjos da Guarda, que acompanharam aqueles momentos emocionantes de Paz!

O APOCALIPSE DE JESUS TEM MUITAS COISAS A NOS ENSINAR COM SEUS CONTEÚDOS RIQUÍSSIMOS! SERÁ QUE, NA ILHA DE PATMOS, JOÃO TINHA PAPEL E CANETA? AGUARDE AINDA MAIS EMOÇÃO! ESPERAMOS VOCÊS!

Relembrando o que aprendemos hoje:

* Na mão direita de Jesus, havia sete estrelas, que são nossos Anjos Protetores.

* Jesus estava no meio de sete candeeiros, que são as sete Igrejas da Ásia.

* As sete Igrejas da Ásia representam toda a humanidade.

* Nós somos as luzes do mundo, quando praticamos o Bem.

* A Hierarquia Divina mostra que toda a mensagem do Apocalipse é de Jesus, que a recebeu de Deus. O Cristo entrega a Revelação a um Anjo, que repassa para João transmiti-la para todos nós!

CADERNO DE ATIVIDADES

VAMOS IMAGINAR? QUE TAL DESENHAR UM CÉU TODO ESTRELADO COM ANJOS PROTETORES E CHEIO DE LUZ? SEJA CRIATIVO!

AJUDE OS VAGALUMES A SE ENCONTRAREM

LIGUE OS PONTOS

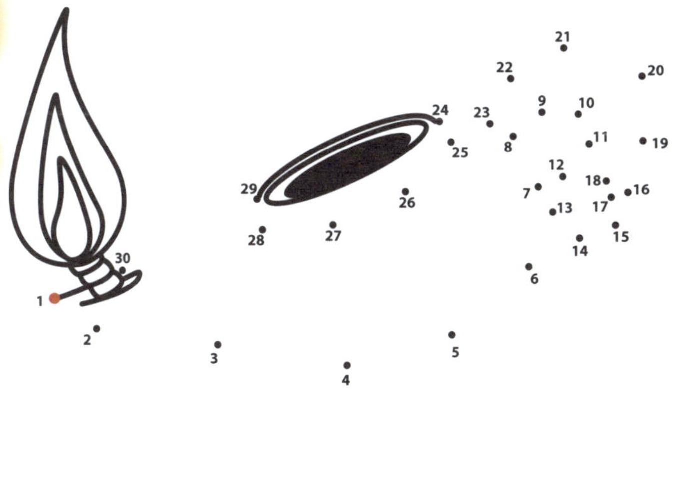

Respostas na página 31

QUAL É O CAMINHO CORRETO?

COMO JOÃO EVANGELISTA RECEBEU A REVELAÇÃO DO APOCALIPSE? PINTE APENAS AS ESTRELAS E DESCUBRA A ORIGEM DA IMPORTANTE MENSAGEM DO APOCALIPSE DE JESUS

ENCONTRE AS SEGUINTES PALAVRAS: ANJOS, CÉU, ESTRELADO, ILUMINADO, JOÃO E NUVENS

P	Ç	H	L	U	M	I	N	A	C
E	S	T	R	E	L	A	D	O	É
Ç	L	W	J	Y	I	A	M	G	H
T	O	N	U	V	E	N	S	B	L
N	Ã	B	S	X	A	M	O	Ã	D
H	O	Q	T	H	T	I	J	N	N
L	J	W	I	Y	R	A	N	D	H
O	I	L	U	M	I	N	A	D	O
U	É	C	E	Z	U	O	Ã	O	B
B	W	K	Ã	R	A	F	A	É	U

DESCUBRA OS 7 ERROS

RESPOSTAS

Resposta da página 10:

Resposta da página 29:

Ajude os vagalumes a se encontrarem

Resposta: 2.

Respostas da página 30:

Qual é o caminho correto?

Como João Evangelista recebeu a Revelação do Apocalipse?

Resposta: Deus → Jesus → Anjo → João Evangelista → Humanidade (nós).

Diagrama:

P	Ç	H	L	U	M	I	N	A	C
E	S	T	R	E	L	A	D	O	É
Ç	L	W	J	Y	I	A	M	G	H
T	O	N	U	V	E	N	S	B	L
N	Ã	B	S	X	A	M	O	Ã	D
H	O	Q	T	H	T	I	J	N	N
L	J	W	I	Y	R	A	N	D	H
O	I	L	U	M	I	N	A	D	O
U	É	C	E	Z	U	O	Ã	O	B
B	W	K	Ã	R	A	F	A	É	U

Respostas da página 31:

Descubra os 7 erros

Jesus, o Cristo Ecumênico, o Divino Estadista

Aos pais, responsáveis e educadores, apresentamos este conceito criado pelo Presidente-Pregador da Religião de Deus, do Cristo e do Espírito Santo, José de Paiva Netto, durante histórica entrevista que concedeu, em 1989, ao produtor de documentários da TV polonesa, na época Vice-Presidente da Associação Universal de Esperanto, jornalista Roman Dobrzyński. Na ocasião, Roman, analisando a missão do Templo da Boa Vontade (TBV), o Templo do Ecumenismo Divino, que Paiva Netto inauguraria no dia 21 de outubro daquele ano, em Brasília/DF, Brasil, arguiu o dirigente da Religião do Amor Universal sobre como podia pregar o Ecumenismo Irrestrito falando em Jesus. Paiva Netto, então, discorreu acerca do tema, resumindo décadas de pregação dele a respeito de assunto tão fundamental da doutrina da Religião do Terceiro Milênio: *"Uma das grandes tarefas da Religião de Deus, do Cristo e do Espírito Santo, meu caro Roman, é dessectarizá-Lo, pois Jesus é o Cristo Ecumênico, portanto universal. (...) O Divino Mestre* ***não é limitado****. Ele é o Ideal Celeste de Humanidade, Amor, Solidariedade, Justiça e Compaixão para todos os seres espirituais e humanos.* ***Jesus é uma conquista diária para os que têm sede de Saber, de Misericórdia, de Fraternidade, de Generosidade, de Liberdade e Igualdade, segundo a Lei Universal da Reencarnação. Jesus, em Si mesmo, não constitui fator de rancores e guerras.*** *Pregou, com o Seu Novo Mandamento* — 'Amai-vos como Eu vos amei. Somente assim podereis ser reconhecidos como meus discípulos' *(Evangelho, segundo João, 13:34 e 35)* —*, o Amor elevado à enésima potência. O que as criaturas terrenas fizeram com a Sua Mensagem é criação reducionista delas (...). Revelar o excelso significado do Seu Evangelho e do Seu Apocalipse, sem odiosa intolerância, ou seja, em Espírito e Verdade, à luz do Seu Novo Mandamento de Amor Fraternal, é um destacado serviço que a Religião de Deus, do Cristo e do Espírito Santo está prestando à sociedade do mundo (...)"*. Cabe destacar que Roman se tornou admirador e divulgador desse Ideal de Boa Vontade, constantemente encaminhando à Religião do Amor Universal histórias e experiências vivenciadas quando de suas palestras e aulas em diversos lugares do globo, entre estas as ministradas na Universidade de Pequim, na China.

Querido Soldadinho de Deus, estamos muito interessados em saber o que você achou desta história e o que aprendeu com ela. Peça para a mamãe, o papai ou o seu responsável para compartilhar suas ideias ou dúvidas sobre o Apocalipse conosco! Eles podem enviar esta página para a Rua Doraci, 90 — Bom Retiro — São Paulo/SP — CEP 01134-050. Ou, se for mais fácil, é só tirar uma foto e encaminhá-la para o nosso *e-mail:* editora@elevacao.com.br. Estamos aguardando sua participação!

Nome:

Idade:

Cidade:

Soldadinhos de Deus

LBV